D0298542

Iaith i ddysgwyr / Language for learners

Sometimes in Welsh the first letter of a word changes, usually because of a word which has come before it. This is called a MUTATION (TREIGLAD). Can you spot any mutations in this book? If you are familiar with some adjectives, you may have wondered why 'cryf' (strong) changed to 'gryf' on page 8. It did so because of a mutation rule. Don't worry about these, you will learn all about them as you progress with the language. Please just be aware that you might notice some mutations in this book.

Depending on where you live, you might have a different way of expressing that you 'have', or someone else 'has' something! Here, you will notice we use, e.g on page 8: "Mae lasŵ gan Wonder Woman" (Wonder Woman has a lasso). More often than not, 'gan' is used in books.
People from South Wales, will often use 'gyda' when speaking (e.g) "Mae lasŵ gyda Wonder Woman", whereas people from Northern areas are more likely to use 'gan' when speaking.
Adult learners following a South Wales course often learn 'gyda' e.g: "Mae lasŵ gyda Wonder Woman", because the focus is often on spoken Welsh in adult learner courses.

This book is written mainly in the present tense, so everything is happening as you read it. However, there are a couple of instances when we refer to something that has happened, e.g on page 22: "Mae'r lleidr wedi dwyn bocs arian". This means that the thief has stolen a safe/money box. If we wanted to say that the thief was stealing it now, we would say "Mae'r lleidr yn dwyn bocs arian" (The thief is stealing a safe/money box).

Geirfa

antur adventure
archarwyr super heroes
arfau weapons
barod ready
brifo to hurt
clogyn cloak
cryf strong
cyflym quick
cyfrinachol secret
cynllun a plan
defnyddio to use
dianc to escape
dinistrio to destroy
diogel safe
dwyn to steal
enwog famous
gofalu to care for/protect
hedfan to fly
hofrenydd helicopter
lleidr thief
ogof cave
peiriannau machines
tanio to ignite
trechu to defeat

Barod am antur!

www.rily.co.uk

Uwch-olygydd y testun gwreiddiol Victoria Taylor
Dylunydd Sandra Perry
Uwch-ddylunydd Anna Formanek
Rheolwr Dylunio Nathan Martin
Rheolwr Golygu Laura Gilbert
Rheolwr Cyhoeddi Julie Ferris
Cyfarwyddwr Cyhoeddi Simon Beecroft
Cynhyrchydd cyn-gynhyrchu Rebecca Fallowfield
Cynhyrchydd Melanie Mikellides
Dylunydd y clawr Jon Hall

Addasiad Cymraeg gan Catrin Wyn Lewis

ISBN 978-1-84967-395-2

 Penguin Random House

Cyhoeddwyd yn wreiddiol yn Saesneg yn 2014 dan y teitl *LEGO DC Universe Superheroes: Ready For Action!* gan Dorling Kindersley Ltd, Cwmni Penguin Random House.

Cyhoeddwyd gan / Published by Rily Publications Ltd, P.O. Box 257, Caerffili, CF83 9FL Cymru, United Kingdom

Mae'r cyhoeddwyr yn cydnabod cefnogaeth ariannol Cyngor Llyfrau Cymru.

Mae cofnod catalog CIP o'r llyfr hwn ar gael o'r Llyfrgell Brydeinig.

Argraffwyd a rhwymwyd yn China.

www.LEGO.com

PLEASE NOTE: The pictures which appear in this book are photographs of actual LEGO toys / LEGO bricks, and so some images may contain English words as shown on the LEGO sets and LEGO stickers.
NODER: Mae'r lluniau yn y llyfr hwn yn dangos teganau LEGO / briciau LEGO go iawn, ac felly gall rai delweddau gynnwys geiriau Saesneg fel sy'n ymddangos ar y setiau LEGO a'r sticeri LEGO.

Cynnwys

Barod am antur!

Gan Victoria Taylor

LEGO® Super Heroes – Archarwyr

Batman

Robin

Mae'r archarwyr yn gofalu am y byd.

Wyt ti eisiau cwrdd â'r archarwyr, a dod ar antur?

LEGO® Superman

Dyma Superman.
Archarwr yw Superman.

Mae Superman yn gofalu
am y Ddinas Fawr.

Wyt ti'n gweld Superman
yn hedfan dros y Ddinas Fawr?

clogyn

LEGO® Wonder Woman

Archarwr yw Wonder Woman.

Mae Wonder Woman yn gryf iawn,
ac mae hi'n gyflym iawn hefyd.

Mae lasŵ gan Wonder Woman.

Mae hi'n defnyddio'r lasŵ
i ddal y bobl ddrwg.

lasŵ

Y robot

Dyma'r robot.
Mae Lex Luther yn eistedd yn y robot.
Ond pwy yw Lex Luther?

Dyn drwg yw e!

Mae Lex Luther a'i robot eisiau dinistrio'r Ddinas Fawr.

Mae Superman a Wonder Woman yn ymladd yn erbyn Lex a'r robot.

Bruce Wayne

Dyma Bruce Wayne.

Mae Bruce Wayne yn enwog iawn.

Mae llawer o arian gan

Bruce Wayne.

Ond pwy yw Bruce Wayne,

go iawn?

Mae Alffred yn
helpu Bruce

Bruce Wayne yw Batman!

Batman

Mae Batman yn gofalu am bobl Dinas Gotham.

Mae gwisg arbennig gan Batman – y Batwisg. Does neb na dim yn gallu brifo Batman pan mae e'n gwisgo'r Batwisg.

Batwisg

Robin

Mae ffrind gan Batman, sy'n rhoi help llaw bob amser. Robin yw ffrind Batman.

Mae Batman a Robin yn gofalu am ei gilydd.

BANE
LOADING
MISSILES
POWER

Y Batogof

Croeso i'r Batogof! Ogof gyfrinachol yw'r Batogof. Mae'r ogof wedi ei chuddio o dan gartref Batman!

Mae'n llawn arfau a pheiriannau clyfar. Mae beic modur Batman yma. Mae llawer o bethau yma i helpu Batman i drechu'r bobl ddrwg.

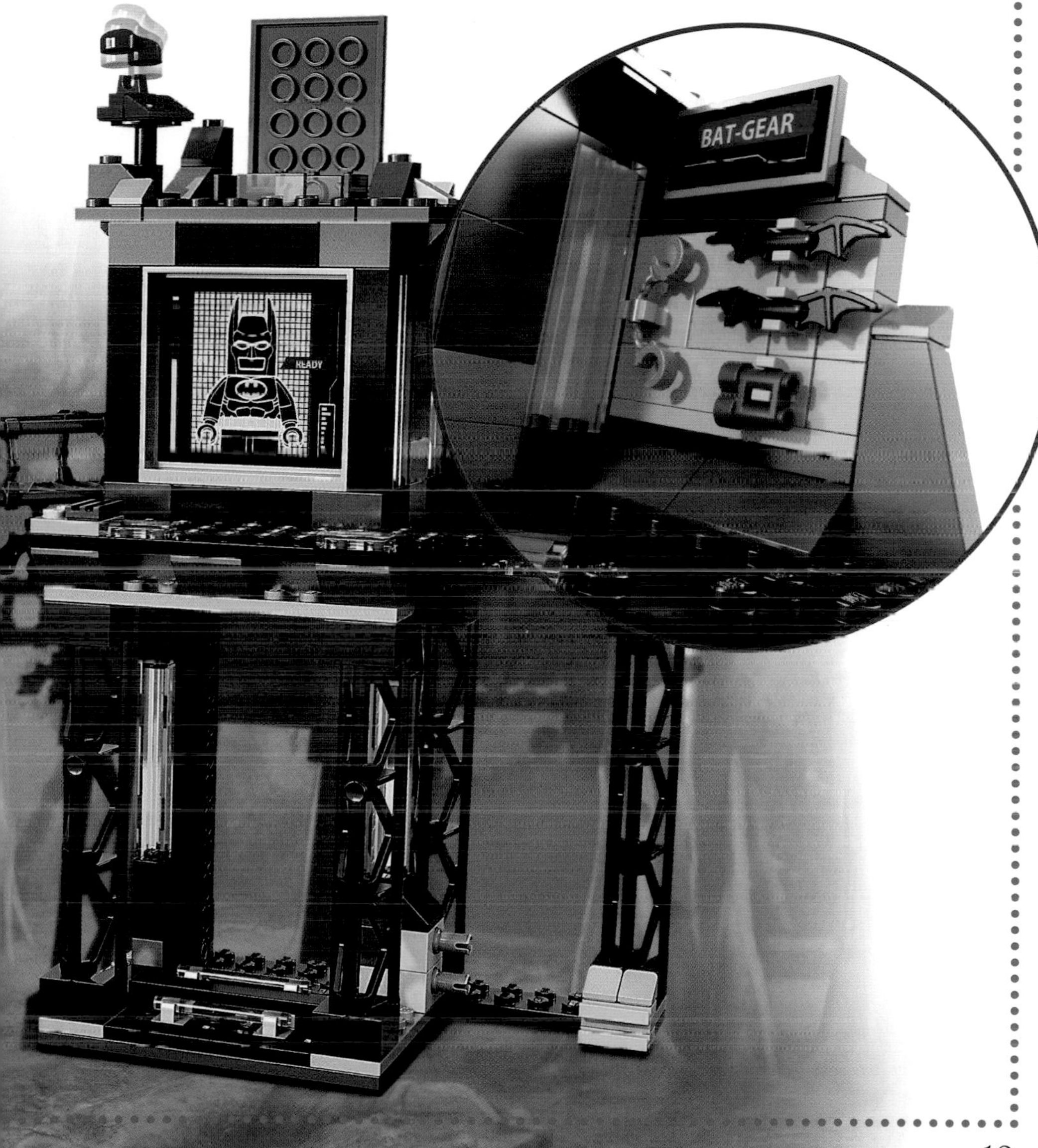

Y Batgar

Dyma hoff beth Batman.

Car cyflym iawn yw'r Batgar.

Mae'r Batgar yn gallu saethu at y bobl ddrwg.

Ras

Wyt ti'n gweld lleidr
yn gyrru'n gyflym o'r banc?

Mae'r lleidr wedi dwyn bocs arian!

Mae Batman yn
tanio injan
y Batgar.

bocs arian

Mae Batman yn dal y lleidr! Mae Batman yn mynd â'r bocs yn ôl i'r banc.

Y Batawyren

Dyma'r Batawyren.

Awyren gyflym iawn yw'r Batawyren.

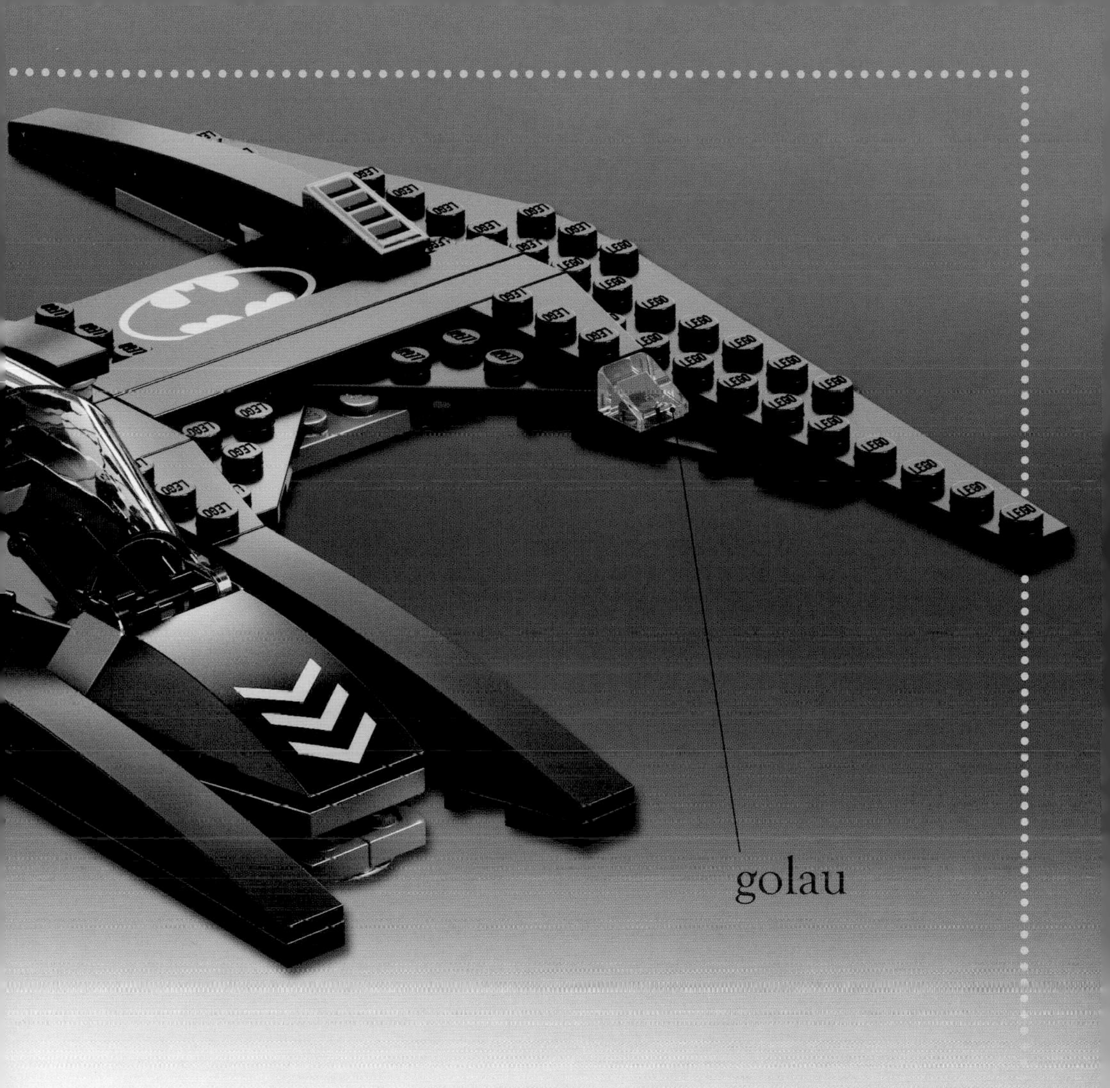

Mae Batman yn hedfan y
Batawyren dros Ddinas Gotham.
Mae'r Batawyren yn helpu Batman
i gadw'r ddinas yn ddiogel.

Batman a'r Joker

Mae'r Joker yn ei hofrenydd. Ond beth mae e'n ei wneud?

Mae'r Joker yn ymosod ar Ddinas Gotham!

Dyma Batman yn cyrraedd yn y Batawyren. Mae e'n saethu at yr hofrenydd.

Dyna ddiwedd ar gynllun y Joker!

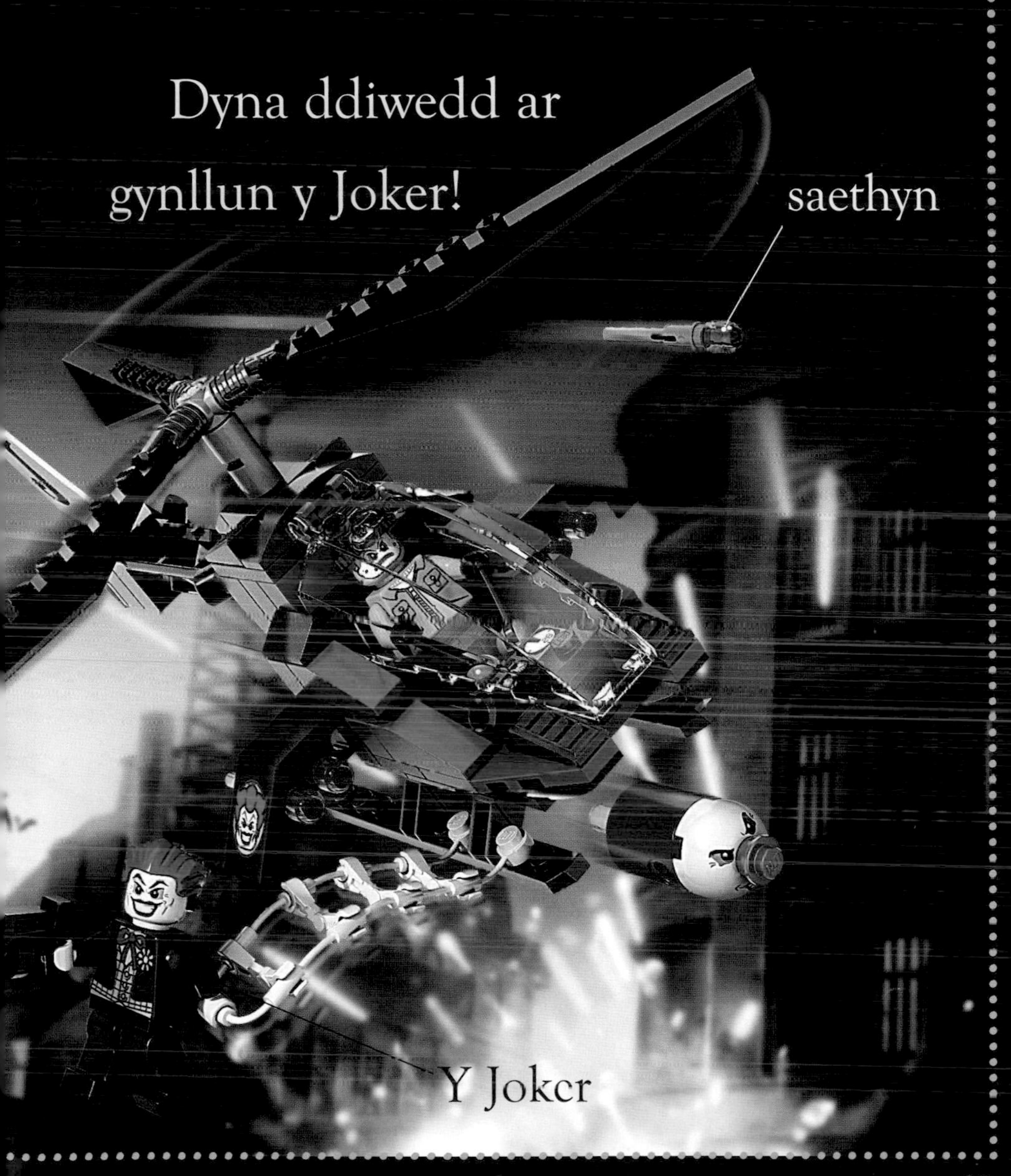

Catwoman ar ras!

Mae Catwoman wedi dwyn diamwnt! Edrych, Batman! Mae Catwoman yn dianc ar gefn y beic modur!

Dyma Batman yn hedfan draw a thaflu'r Batarang ati.

Mae'r Batarang yn bwrw'r diamwnt i'r llawr.

Da iawn, Batman! Rwyt ti wedi trechu Catwoman!

Batarang

Robin yn y ffair

Mae tri pherson drwg wedi dal Robin. Mae nhw'n dal Robin ar reid yn y ffair.

Wyt ti'n gallu gweld Robin?

Dyma Batman yn cyrraedd ar ei Batfeic!

Mae Batman yn achub Robin.

Mae pobl Dinas Gotham i gyd yn ddiogel eto.

Geirfa Archarwyr

Batarang
Arf siâp ystlum

Batwisg
Gwisg arbennig sy'n cadw Batman yn ddiogel

lasŵ
Rhaff a dolen ar ei phen

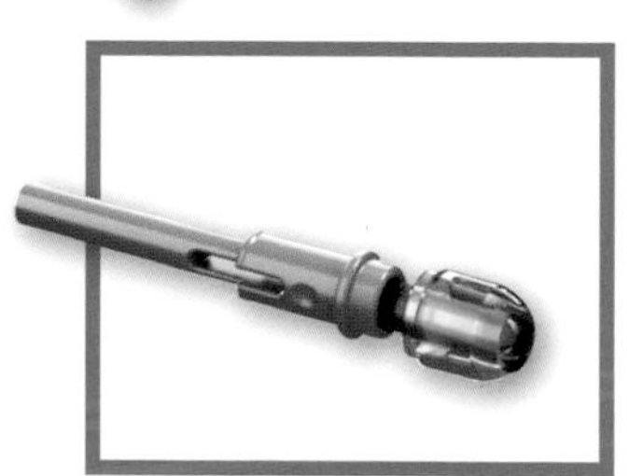

saethyn
Rhywbeth sy'n cael ei saethu

bocs arian
Bocs metal sy'n dal pethau gwerthfawr

Canllaw i rieni

ER MWYN DARLLEN Y LLYFR HWN,
DYLAI'CH PLENTYN FOD YN GALLU:

- Adnabod llythrennau a chyfuniad o lythrennau a'u sŵn, darllen geiriau anghyfarwydd, geiriau lluosog, ynghyd â berfau syml ac ambell ansoddair e.e. lliw.
- Defnyddio'r stori, lluniau a strwythur y frawddeg er mwyn gwirio a chywiro ei ddarllen ei hun.
- Amrywio amseru'r frawddeg yn ôl yr atalnodi; saib ar ôl coma, saib hirach ar ôl atalnod llawn, newid y llais i gydnabod cwestiwn, ebychnod neu ddyfyniad/deialog.

Mae darllen yn gallu bod yn ymdrech fawr ac yn waith caled i rai plant. Gall cefnogaeth a chymorth oedolyn fod o help mawr. Dyma ambell syniad wrth ddefnyddio'r llyfr hwn gyda'ch plentyn.

1. Darllenwch y clawr cefn, a thrafodwch y dudalen gynnwys gyda'ch gilydd cyn dechrau.
2. Cefnogwch eich plentyn wrth ddarllen drwy adael iddo ddal a throi'r tudalennau ei hunan.
3. Anogwch eich plentyn a gofynnwch gwestiynau am yr hyn mae'n ei ddarllen. Mae'r tudalennau ffeithiol ychydig yn anoddach na gweddill y testun, ac fe'ch cynghorir i rannu'r profiad o ddarllen y rhain gyda'r plentyn.

SYNIADAU PELLACH:

- Ceisiwch ddarllen gyda'ch gilydd bob dydd. Ychydig bach yn aml yw'r ffordd orau. Ar ôl 10 munud, does dim rhaid parhau oni bai bod eich plentyn yn awyddus i wneud hynny.
- Anogwch eich plentyn i drio darllen geiriau anodd ei hunan. Cofiwch ganmol eich plentyn pan mae e'n ei gywiro ei hun.
- Darllenwch lyfrau eraill i'ch plentyn er mwyn cynnal a chadw ei ddiddordeb.

Guide for Parents

TO READ THIS BOOK YOUR
CHILD SHOULD BE ABLE TO:

- Recognise letters, and a combination of letters and their sounds, read unfamiliar words, as well as simple verbs and some adjectives e.g. colours.
- Use the storyline, illustrations and sentence structure to check and correct his/her own reading.
- Vary the timing of a sentence, taking into account the punctuation; pause after a comma, and for longer at a full stop, and altering voice/expression to respond to a question, exclamation mark or speech marks.

For many children, reading requires much effort but adult participation and support can help. Here are a few ideas on how to use this book with your child.

1. Read the back cover, and discuss the contents page with each other before you begin.
2. Support your child in their reading through letting them hold the book and turn the pages him/herself.
3. Encourage your child and ask questions about what they have read. The factual pages tend to be more difficult than the story pages, and are designed to be shared with your child.

A FEW ADDITIONAL TIPS:

- Try and read together every day. Little and often is best. After 10 minutes, only keep going if your child wants to read on.
- Always encourage your child to have a go at reading difficult words by themselves. Praise any self-corrections.
- Read other books of different types to your child for enjoyment and to keep them interested.